égypte antique

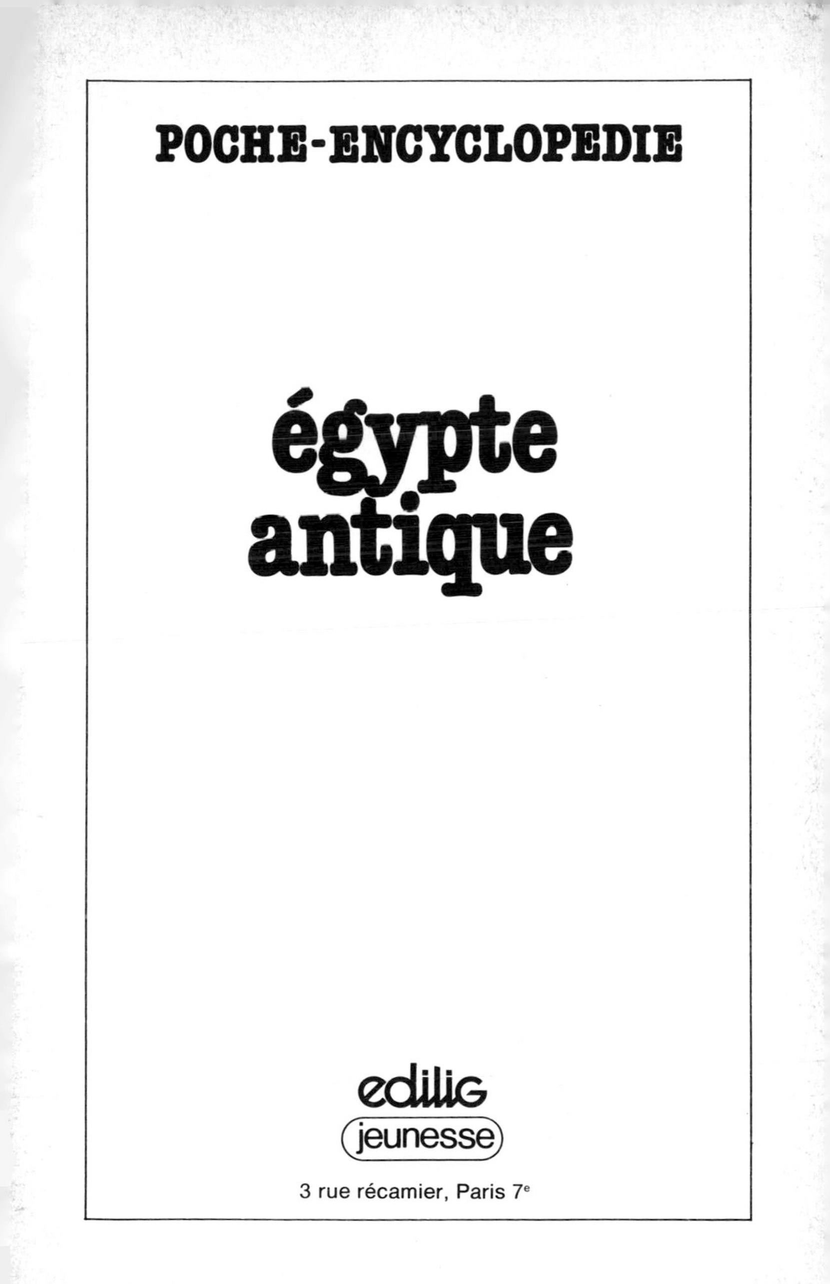

POCHE-ENCYCLOPEDIE

égypte antique

edilig
jeunesse

3 rue récamier, Paris 7e

Texte français de Hélène Prouteau
Texte original de Anne Millard
Illustré par Harry Bishop

ISBN : 2 - 85601 - 107 - 1
ISSN : 0761-1323
Dépôt légal : 1er trimestre 1986

Imprimé en Italie, janvier 1986

Photocomposition : Marchand, Paris

Sommaire

Le pays	6
Les seigneurs des deux terres	10
Le gouvernement	18
Le travail	28
La vie quotidienne	40
La religion	48
L'au-delà	54
Index	62

Le pays

L'Égypte est en grande partie un désert inhospitalier de sable et de rochers. Le contraste est étonnant avec l'incroyable fertilité des régions bordant le Nil.

La meilleure façon d'aborder l'Égypte est de la survoler. Au milieu de terres arides et désolées, vous verrez tout à coup un ruban vert parcouru par un fil d'argent qui serpente du sud au nord. Voici le « don du Nil », la « terre bénie des dieux ».

Entouré par les falaises du désert, le peuple de la Haute-Égypte se croyait tout particulièrement protégé par les dieux.

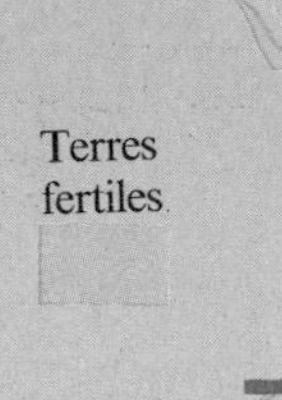

Depuis toujours les Égyptiens ont dû importer le bois de charpente. Les arbres du pays – palmiers, acacias, tamariniers – ne permettaient pas de tailler de grandes planches solides.

L'agriculture était la principale richesse de l'Égypte, mais le Nil fournissait également de l'argile pour les briques et la poterie, ainsi que de nombreux roseaux utilisés à différents usages. Dans le désert, on trouvait des pierres pour la construction, ainsi que des pierres semi-précieuses à tailler pour orner les bijoux. Il y avait aussi des métaux : surtout de l'or et du cuivre, mais malheureusement pas de fer. Le commerce avec les pays situés plus à l'est, tout particulièrement avec la ville de Byblos, en Phénicie, était particulièrement intéressant.

Les inondations

Le Nil, le plus long fleuve du monde, est formé de deux branches : le Nil Blanc qui prend sa source dans le lac Victoria au centre de l'Afrique, et le Nil Bleu qui dévale des hauts plateaux d'Abyssinie. La ville de Khartoum se situe au confluent des deux. A partir de là, le cours du fleuve vers la Méditerranée franchit une succession de six *cataractes*, ou rapides.

Avant la construction des barrages modernes, une partie de l'Égypte était inondée chaque année. La fonte des neiges et les pluies s'abattant sur le Nil Bleu en étaient la cause. « La Crue » commençait en juin et se terminait en septembre. Mais elle était attendue avec anxiété, car elle favorisait la culture sur cette terre desséchée. Si la quantité d'eau était insuffisante, c'était la famine. S'il y avait trop d'eau, les champs étaient inondés, et les maisons souvent détruites. Des instruments appelés *nilomètres* furent construits pour faire des mesures précises du niveau d'eau.

A gauche : Encore aujourd'hui, les champs sont divisés en petites parcelles par des canaux d'irrigation. Vus d'avion, les champs ressemblent à un immense patchworck. Chaque carré peut être irrigué séparément en ouvrant ses canaux pour envahir la parcelle.

Page 9 : Avec l'inondation commençait la transhumance du bétail que l'on conduisait vers des terres plus sèches.

La crue du Nil entraînait des alluvions noires et fertiles qui se déposaient sur les terres quand les eaux se retiraient. Seule cette « Terre Noire » était cultivée par les Égyptiens. Au-delà s'étendait le désert : la « Terre Rouge ».

Pour préserver les villes et les villages de l'inondation, leurs habitants ouvraient des tranchées. Pour emmagasiner l'eau et irriguer les champs, ils avaient conçu tout un système de canaux et de fossés très astucieux.

Les propriétés étaient marquées par des bornes, qui résistaient à la montée des eaux. Déplacer ces bornes pour voler de la terre à un voisin était considéré comme un crime.

Les seigneurs des deux terres

La civilisation de l'ancienne Égypte remonte à plus de 5 000 ans. Les hommes de l'âge de pierre qui vinrent chasser sur les terres d'Égypte finirent par s'y établir. Ils furent les premiers fermiers du monde, prospérèrent et devinrent nombreux. Des chefs s'efforçaient d'étendre toujours davantage leurs territoires.

Vers 3100 av. J.-C., dans le sud, Narmer, le chef de la Haute-Égypte, marcha sur le nord et battit ses adversaires en Basse-Égypte. Il réunit les deux territoires et régna depuis la nouvelle capitale, construite à Memphis. Il fonda la 1re dynastie royale. Jusqu'à l'arrivée des Romains, 31 dynasties se succédèrent. Les deux premières dynasties couvrent la Période Archaïque.

Après une bataille décisive, Narmer, chef de la Haute-Égypte, conquit la Basse-Égypte et extermina ses rivaux. Cette illustration s'inspire de scènes gravées sur une grande tablette de cérémonie en schiste.

L'Ancien Empire

Vers 2600 av. J.-C., à la Période Archaïque succédèrent quatre dynasties qui forment l'Ancien Empire. Ce fut la grande époque des pyramides, qui vit s'épanouir les arts, l'architecture, la littérature, les sciences et la médecine. L'Égypte en paix était prospère. Les seules expéditions militaires étaient destinées à surveiller les frontières afin de protéger le commerce. Mais cet âge d'or ne dura pas. Le pouvoir royal s'affaiblit et l'Égypte tomba dans le chaos. C'est la 1re Période Intermédiaire.

Ayant conquis la Nubie jusqu'à la 2e cataracte, les Égyptiens construisirent neuf forteresses pour défendre la nouvelle frontière contre les tribus guerrières du sud. On voit ici une reconstitution du fort de Bouhen.

Le Moyen Empire

Dans la 1re Période Intermédiaire, aux 22e et 21e siècles av. J.-C. les nomarques (gouverneurs de province) s'octroyèrent de nombreux privilèges royaux, profitant des luttes des différentes familles royales pour s'emparer du pouvoir. Les princes de Thèbes réunifièrent à nouveau le pays et fondèrent la 11e dynastie.

Le Moyen Empire, avec les 11e, 12e et 13e dynasties, représente une autre grande période de l'histoire égyptienne. Les rois parvinrent à maîtriser totalement les pouvoirs des nomarques et organisèrent un gouvernement solide. Certains de ces rois, y compris le plus grand, Sésostris III, étaient des guerriers. Ils envahirent au sud la Nubie, établirent une nouvelle frontière à la 2e cataracte et remontèrent le fleuve jusqu'à la 3e.

Le Nouvel Empire

Le pouvoir royal déclina à nouveau. Des tribus venant de l'est, les Hyksos, envahirent et conquirent la Basse et la Moyenne Égypte. L'humiliation de la Deuxième Période Intermédiaire dura un siècle et demi. Vers 1570 av. J.-C., les princes de Thèbes firent à nouveau alliance et repoussèrent les envahisseurs détestés. Ils fondèrent la 18e Dynastie et le Nouvel Empire.

Conduits par une brillante lignée de rois guerriers, les Égyptiens conquirent un vaste empire s'étendant de la 4e cataracte du Nil, au sud, jusqu'au fleuve Euphrate, dans le nord. Les tributs, les cadeaux, les produits du commerce venant de l'Empire et des pays voisins affluaient. Les temples et les tombeaux témoignent de la prospérité et de l'éclat de cette période, ainsi que du talent des artistes et des artisans.

Carte du Proche-Orient représentant l'Égypte à l'époque du Nouvel Empire.

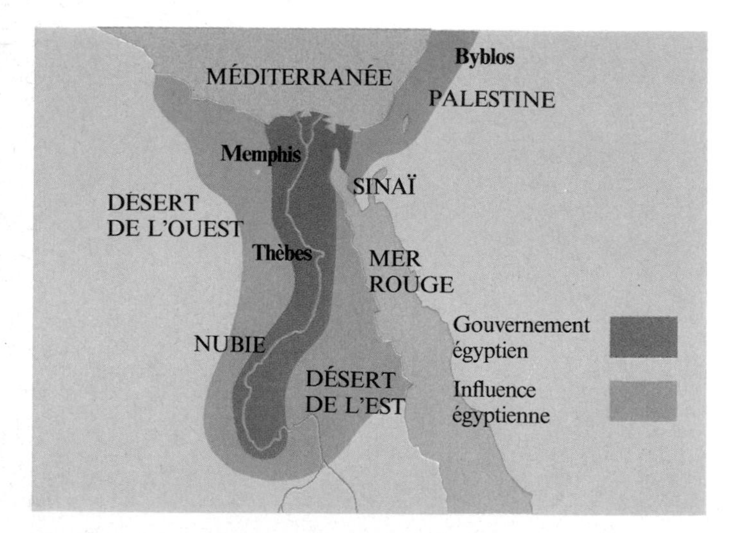

Le roi Thoutmosis III fut le plus grand des phraraons guerriers. Ici, nous le voyons à la cour, recevant le tribut de ses sujets nubiens : l'or venait essentiellement de Nubie. Toutes les provinces de l'Empire payaient un tribut et envoyaient des cadeaux. Le pharaon dirigeait aussi le commerce avec l'Empire et tous les pays étrangers. Les rois de cette période conçurent un ensemble de règles concernant les échanges internationaux. Ils signaient des traités, échangeant des ambassadeurs et envoyant des messagers.

La Basse Époque

Avec la 20e dynastie, l'Égypte amorçait son déclin. Ce fut le début de la lente décadence. L'Empire de l'Est fut perdu. Mais ce ne sont pas les Mitannis et les Hittites, depuis longtemps rivaux du Nouveau Royaume, qui l'emportèrent. Vainqueurs des Mitannis, les Hittites tombèrent sous les coups des Peuples de la Mer. Le pouvoir fut conquis par les Assyriens. Entre-temps la Nubie recouvra son indépendance et se dota d'une dynastie de rois.

En Égypte, les dynasties rivales s'affrontaient pour régner. Puis le pays fut envahi et dominé par des rois d'origine étrangère. Le premier roi venait de Lybie, la 25e dynastie était originaire de Nubie.

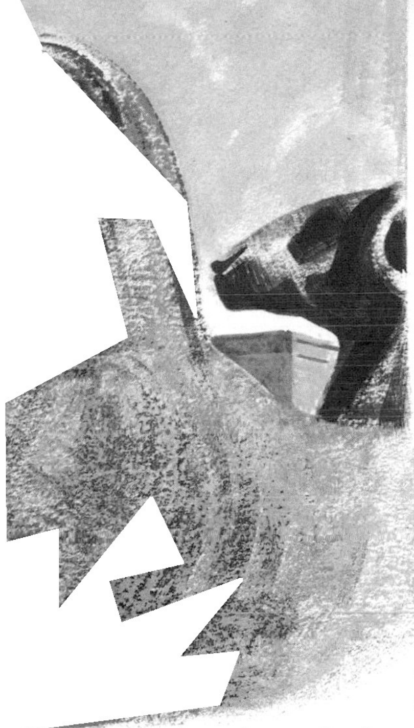

Ci-dessus : Une pièce de monnaie à l'effigie d'Alexandre le Grand. Ses successeurs, les Ptolémées, construisirent de nombreux temples, dont Philae, récemment sauvé de la montée des eaux provoquées par le barrage d'Assouan.

Ramsès III repoussa une attaque des Peuples de la Mer, qui comprenaient la tribu des Philistins. A gauche : Il présente des prisonniers au dieu Amon.

Les Assyriens réunirent l'Égypte à leur empire, mais les Égyptiens se libérèrent rapidement en 663 av. J.-C. avec l'établissement de la 26e dynastie, qui ouvrait la Basse Époque. Ils tentèrent de faire revivre leur glorieux passé en reproduisant les arts, les coutumes et les cérémonies religieuses de cette époque.

Depuis 525 av. J.-C., les Égyptiens supportaient très mal la domination des Perses. Quand Alexandre le Grand conquit l'Égypte en 332 av. J.-C., il fut accueilli comme un sauveur. Après la mort d'Alexandre, son général, Ptolémée, gouverna le pays et fonda la dynastie des Lagides qui dura 3 siècles, faisant de l'Égypte l'état le plus riche et le plus étendu de l'Orient, avec Alexandrie comme capitale. Mais cet empire s'affaiblit et prit fin à la bataille d'Actium en 31 av. J.-C. Octave entra à Alexandrie. La dynastie se termina avec Cléopâtre qui se suicida. L'Égypte devint province romaine.

Le gouvernement

Les Égyptiens n'oublièrent jamais que leur pays comprenait deux royaumes unis dans la personne du roi. Il était appelé le roi de la Haute et de la Basse-Égypte et portait généralement une couronne double. Tous les services de l'État étaient divisés en deux : pour les affaires de la Haute-Égypte, et pour celles de la Basse-Égypte.

Le roi incarnait sur terre le dieu Horus et était considéré comme le fils de ce dieu solaire. On ne devait pas le désigner précisément ; c'est pourquoi le peuple parlait du « Palais », en égyptien *per-o* (grande maison), devenu *pharao,* d'où le mot *pharaon.*

Le roi était le Grand prêtre de tous les nombreux dieux et déesses d'Égypte, mais désignait les prêtres qui agissaient en son nom.

Un roi avait beaucoup de femmes et de concubines ; la reine, la « Grande Épouse Royale », était généralement sa sœur ou sa demi-sœur. Descendant des dieux et étant lui-même un dieu sur terre, il ne pouvait s'unir qu'à une femme de son sang pour partager le trône et lui donner un héritier.

Quand le roi, revêtu de ses attributs, était assis sur le trône, l'esprit du dieu Horus l'habitait. On devait l'approcher avec grand respect, et embrasser sept fois le sol devant lui et la reine.

Les maîtres de l'Égypte devaient en principe être des hommes, mais plusieurs femmes devinrent pharaons. La plus célèbre s'appelait Hatshepsout. Elle était l'héritière royale et épousa son demi-frère Touthmosis II, qui mourut jeune, laissant Hatshepsout avec deux filles et un garçon : il allait devenir Touthmosis III, le plus grand des pharaons guerriers d'Égypte. En attendant son règne, Hatshepsout prit le pouvoir et devint Reine.

De 1503 à 1482 av. J.-C., cette femme admirable sut gouverner l'Égypte. Son architecte préféré, Senenmout, lui construisit un magnifique temple funéraire à Deir el-Bahari (Thèbes), sur lequel sont gravés ses exploits.

L'un des personnages les plus extaordinaires qui ait occupé le trône d'Égypte fut Aménophis IV, qui régna

Hatshepsout, accompagnée par son architecte Senenmout, inspecte les travaux de son temple funéraire à Deir el-Bahari.

Akhenaton et Nefertiti dirigent leur char dans les rues de leur nouvelle capitale à la lumière du dieu Aton, celui qui donne la vie.

de 1372 à 1354 av. J.-C. Il abandonna tous les dieux de l'Égypte pour se consacrer à un seul : Aton, le disque solaire. Aménophis changea son nom en Akhenaton, en l'honneur de son dieu, et construisit une nouvelle capitale à l'endroit qui s'appelle aujourd'hui Tell el-Amarna. Il épousa une très belle femme, Nefertiti, dont il eut six filles.

Akhenaton insista pour que les artistes le représentent tel qu'il était, c'est-à-dire assez laid. Il semble avoir eu une vie de famille paisible, mais son règne fut assez tourmenté. Il fut tellement absorbé par les problèmes de religion qu'il en perdit une partie de l'Empire syrien. A sa mort, le peuple abandonna son dieu, surnommant Akhenaton « cet hérétique ».

Les serviteurs du roi

Dieu lui-même et représentant des dieux sur terre, le roi avait un pouvoir absolu, et sa volonté faisait loi. Cependant les dieux attendaient de lui qu'il gouverne en accord total avec leur volonté. Sinon il risquait de déséquilibrer le *Maât,* la balance de l'Univers. Pour l'aider à diriger efficacement le pays, le roi employait une foule de dignitaires et de scribes.

Les représentants du roi s'appelaient les *vizirs*. Il n'y en eut d'abord qu'un seul ; mais, les affaires devenant plus compliquées, un fut nommé pour la Haute-Égypte et un second pour la Basse-Égypte. Ils dirigeaient plusieurs services de l'État, par exemple la Trésorerie, chacun possédant sa propre équipe. Enfin venaient les dignitaires locaux à la tête de chaque *nome* ou province.

L'argent n'existait pas ; les impôts étaient payés en marchandises ou en heures de travail. Les biens et la

En examinant attentivement les peintures dans les tombes égyptiennes, vous découvrirez partout des scribes.
Le système gouvernemental fonctionnait grâce à des rapports et des instructions écrits.

Les paysans redoutaient l'arrivée des collecteurs d'impôts, qui calculaient les taxes sur les récoltes avant la moisson.

nourriture étaient stockés dans les entrepôts royaux ; ils servaient à payer les dignitaires et ceux qui travaillaient pour le roi, esclaves ou hommes libres. Le surplus était utilisé pour le commerce extérieur.

Tous devaient servir le roi en effectuant un travail, mais les riches pouvaient payer quelqu'un d'autre pour travailler à leur place. Quant aux travaux spéciaux, les mines par exemple, on réquisitionnait une faible partie de la population.

Une armée de scribes était nécessaire pour faire fonctionner le système. Tout était consigné : les ordres donnés, les objets fabriqués, les récoltes, les contrats, les jugements. C'est ainsi que nous connaissons tant de choses sur l'Égypte après des milliers d'années !

Devant la cour, les témoins juraient de dire la vérité par Amon et le roi. Si leurs déclarations étaient contradictoires, on les frappait pour obtenir la vérité !

La loi

La loi égyptienne permettait de faire appel à tous les niveaux, même jusqu'au vizir. Les témoins déposaient sous serment et on réunissait les pièces pour constituer un dossier. Quand il était impossible de se décider entre deux versions également plausibles, le procès pouvait se dérouler devant un *oracle,* et les dieux prononçaient eux-mêmes le jugement.

Les crimes étaient punis de plusieurs façons : fouet, travaux forcés dans une mine ou une carrière, mutilation, bannissement, et même exécution capitale pour les crimes les plus graves.

Il n'y avait pas d'avocats ; les accusés se défendaient tout seuls. Les femmes étaient très respectées dans l'Égypte ancienne : elles jouissaient d'un statut particulièrement favorable. Elles n'occupaient pas de fonctions publiques, sauf dans les temples. Mais en l'absence de leur mari elles pouvaient reprendre la gestion des affaires, privées ou publiques.

Une femme pouvait hériter des biens et des terres de sa famille. Ses propriétés lui restaient acquises en propre, distinctes des biens de son mari ou de leurs biens communs. Dans son testament, elle pouvait à son gré disposer de ce qui lui appartenait. En cas de divorce ou de veuvage, ses enfants étaient à sa charge et elle recevait une pension. Elle avait le droit de divorcer et était libre de se remarier.

Les femmes expertes en tissage pouvaient vendre leurs tissus et en tirer un bon profit, mais la plupart des villageois ne tissaient que les étoffes ordinaires dont ils avaient besoin.

L'armée et la marine

Le recrutement et l'organisation de l'armée égyptienne évoluèrent beaucoup au cours de sa longue histoire. Dans l'Ancien et le Moyen Empire, l'infanterie représentait le seul corps d'armée. Les chars et les chevaux introduits par les Hyksos furent immédiatement utilisés par les militaires. La réorganisation de l'armée permit de gagner des territoires et de fonder le Nouvel Empire. Les quatre corps d'armée portaient les noms des dieux : Amon, Rê, Ptah, Sutekh. Chaque corps était accompagné de ses chars, ses étendards et ses trompettes pour transmettre les ordres. Les armes comprenaient des arcs avec des flèches, des lances, des haches, des épées et des massues. Les boucliers des temps anciens furent complétés par des casques et des armures pendant le Nouvel Empire.

La marine servait essentiellement au transport des soldats. Mais une importante bataille navale eut cependant lieu, en 1190 av. J.-C. environ, contre les Peuples de la Mer. La victoire de Ramsès III sauva l'Égypte et sa civilisation.

Dans le Nouvel Empire, le pharaon prenait lui-même part à la bataille sur un char. Les officiers devenaient ses amis personnels et étaient récompensés en temps de paix par de hautes fonctions au gouvernement.

Le travail

Dans l'ancienne Égypte, la plupart des habitants étaient des paysans. Ils commençaient leurs travaux en octobre quand l'inondation était terminée. Ils brisaient les grosses mottes de terre des champs pour égaliser le sol et labouraient avec des charrues tirées par des bœufs. Derrière la charrue, le semeur jetait les graines qu'il puisait dans un sac. Puis on laissait les animaux piétiner le sol pour enfouir les semences. Les champs étaient ensuite irrigués et désherbés ; il fallait également éloigner les oiseaux jusqu'à la récolte, en mars ou en avril. Les Égyptiens faisaient pousser du blé et de l'orge, mais aussi de nombreux fruits et légumes.

Dès que l'inondation avait cessé, les champs étaient labourés et ensemencés. Le bétail piétinant le sol enfonçait les semences dans la terre.

Des scènes de moissons sont représentées sur toutes les tombes à partir de la 3e dynastie.

Les Égyptiens élevaient des bovins, des moutons, des cochons, des chèvres, des canards et des oies. Ils essayèrent même de domestiquer des hyènes pour les manger, mais sans succès ! Les pâturages verdoyants étant rares dans ce pays très sec, les animaux étaient souvent engraissés dans les étables. Les plats de viande faisaient l'admiration des pays voisins moins riches ; les Égyptiens avaient certainement une nourriture abondante et variée. En plus des produits de leurs fermes, ils avaient aussi du poisson et du gibier d'eau, provenant des pêcheurs et des chasseurs.

Les Égyptiens buvaient surtout de la bière et du vin. Ils sucraient leurs aliments avec du miel, car le sucre était alors inconnu.

Les constructions

Les maisons, riches ou pauvres, étaient toutes bâties avec des briques en boue séchée. On n'utilisait la pierre que pour les temples et les tombes qui devaient durer l'éternité.

Il existait des tailleurs de pierres et des briquetiers professionnels, mais tout le monde devait travailler pour le roi. Quand ils ne cultivaient pas la terre, de nombreux paysans travaillaient sur les chantiers du roi. Les prisonniers de guerre devenaient en général des esclaves utilisés pour la construction des monuments et des temples royaux, pendant le Nouvel Empire.

D'énormes rampes de mœllons et de briques étaient utilisées pour hisser les pierres à leur place. Pour les pyramides, les spécialistes ne sont pas d'accord. Certains pensent que les rampes entouraient la construction (comme sur cette illustration) ; pour d'autres, il n'existait qu'une seule rampe droite, très longue.

Ci-dessus : Pour fabriquer des briques, les hommes devaient extraire beaucoup de boue argileuse qu'ils mélangeaient à de l'eau ; puis ils y ajoutaient de la paille hachée finement pour lier le mélange. Des moules en bois donnaient aux briques leur forme définitive. Ensuite elles séchaient au soleil jusqu'à ce qu'elles deviennent dures comme des pierres.

A gauche : Des traîneaux étaient utilisés pour transporter les lourdes charges à travers les sables du désert et les pistes mal tracées. Les cordes étaient tirées par des bœufs ou des hommes. Pour que les traîneaux glissent mieux, on jetait de la graisse ou de l'eau devant les roulettes.

Le travail des artisans

Il y a toujours eu une corporation peu nombreuse mais hautement considérée d'artisans, hommes et femmes, produisant les magnifiques objets et réalisant les peintures qui font aujourd'hui notre admiration.

Les esclaves travaillant dans les carrières et sur les chantiers avaient certes une vie très rude, mais ne se voyaient pas infliger des tortures inutiles comme chez les Assyriens. Les artisans libres devenaient parfois prospères.

Un garçon devait apprendre le métier de son père, et travailler avec lui ; cependant, s'il avait d'autres talents, il pouvait pratiquer une autre profession.

Les artisans se regroupaient par ateliers, selon leur spécialité. Les orfèvres étaient appréciés et respectés, mais ils devaient être honnêtes !

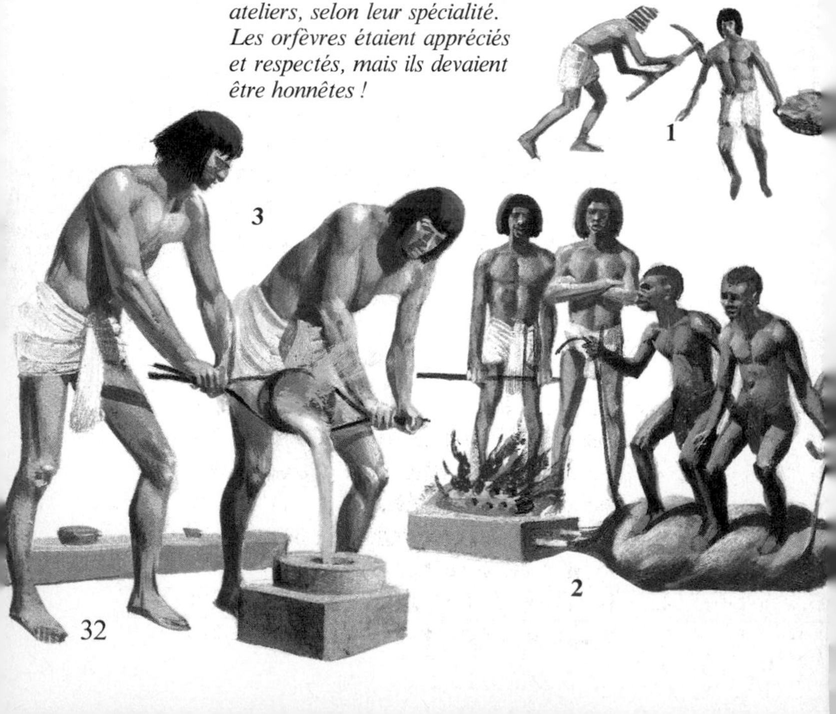

Les meilleurs artisans pouvaient être au service des ateliers du roi, d'un temple ou d'un dignitaire. Les autres ouvraient leurs propres ateliers et vendaient leur production sur les marchés.

Les ouvriers qui construisaient les tombes royales du Nouvel Empire vivaient dans un village qui leur était réservé sur la rive occidentale, à Thèbes. Les fouilles ont révélé qu'ils étaient bien traités et qu'ils avaient des jours de congé, réguliers et pour les nombreuses fêtes. Certains prenaient même des vacances supplémentaires. L'argent n'existant pas, ils étaient payés en nourriture et en objets divers. Ils se mettaient parfois en grève quand leur salaire était en retard !

Les différentes étapes du travail de l'or :
1 L'or est extrait des mines du désert
2 Des soufflets actionnés au pied servent à aviver le feu
3 L'or fondu est versé dans des moules
4 Pesée de l'or
5 Enfilage des perles
6 Un collier terminé
7 Un pectoral (pendentif)

Le transport et le commerce

La plupart des Égyptiens se déplaçaient à pied, ou en bateau. Les riches voyagaient en chaise portée par des esclaves. Le cheval apparut en Égypte vers 1680 av. J.-C., et bientôt les riches purent se déplacer en chars. Pour les longs voyages, on préférait les bateaux. Les marchandises étaient en général transportées par voie d'eau, puis grâce à un joug sur l'épaule des hommes ou à dos d'âne. Les charges lourdes étaient placées sur des traîneaux équipés de roulettes et tirées avec des cordes. On ne pouvait utiliser les chariots, qui s'enlisaient dans les sables ou sur les routes boueuses, pendant et après les inondations.

Les petites barques fluviales étaient fabriquées avec des roseaux assemblés, mais les gros bateaux de mer étaient construits en bois importé du Liban. Ils avançaient à l'aide de rames et de voiles et étaient dirigés grâce à un ou deux avirons de queue. Les barques funéraires étaient remorquées avec des cordes.

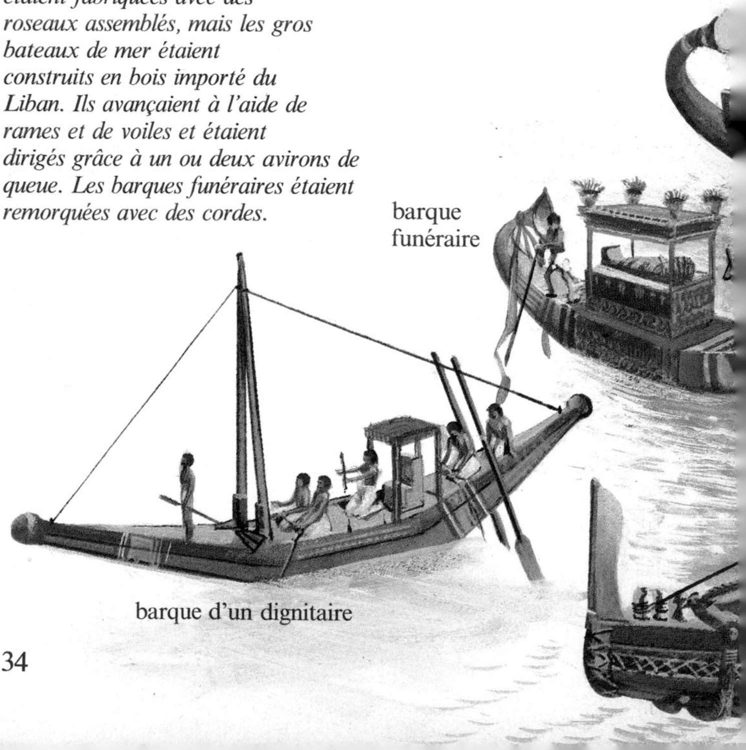

Les Égyptiens ont toujours importé ce qui leur manquait, par exemple le bois et les marchandises de luxe. En échange ils offraient des céréales, du vin, du papyrus (papier), de l'or provenant de leurs mines de

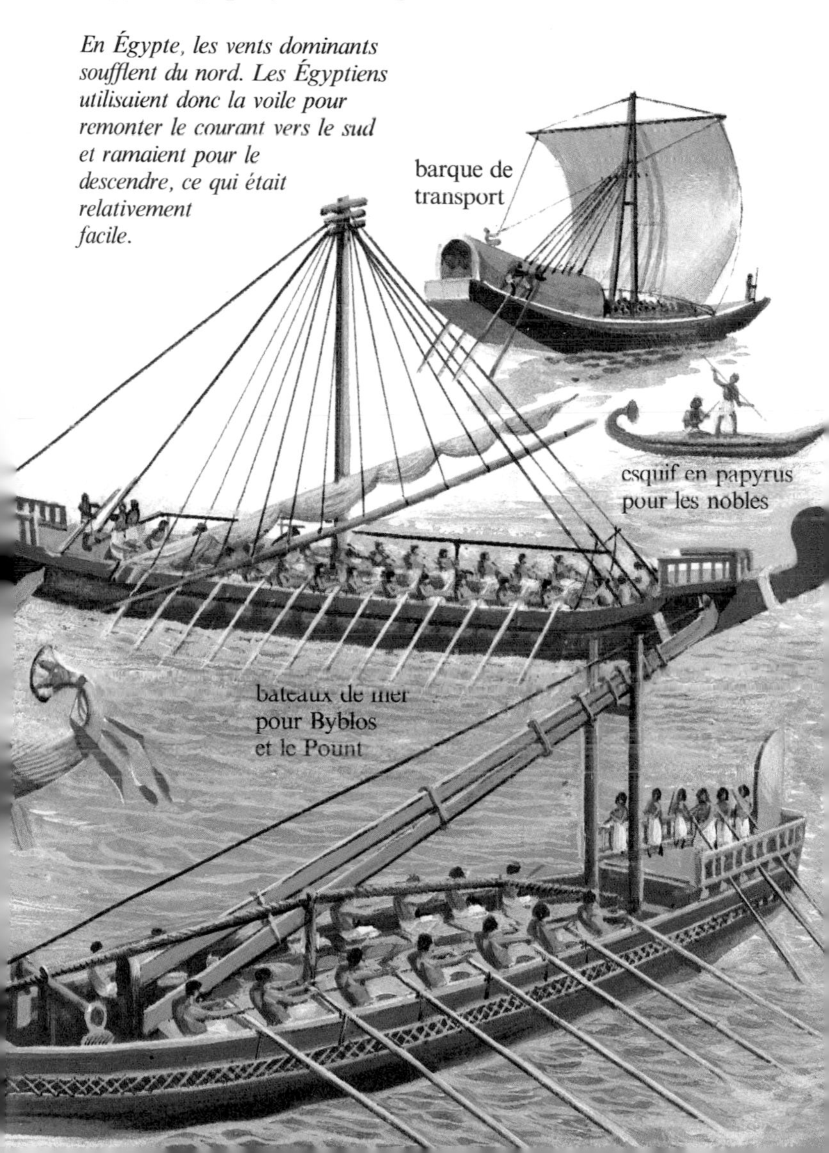

En Égypte, les vents dominants soufflent du nord. Les Égyptiens utilisaient donc la voile pour remonter le courant vers le sud et ramaient pour le descendre, ce qui était relativement facile.

Nubie et toutes sortes d'autres produits : bijoux, parfums, amulettes, meubles.

L'ancien port de Byblos, situé dans l'actuel Liban, envoyait vers l'Égypte le bois de charpente, de leurs magnifiques forêts de cèdres. De ce port venaient également des esclaves, du vin, des huiles, du cuivre et de nombreux produits de luxe. Plus tard vinrent les chevaux. La Crète et la Grèce fournirent ensuite le cuivre, l'or et l'argent ; le Sinaï donna les produits de maquillage pour les yeux, et le cuivre et les turquoises extraits des mines qui y avaient été ouvertes par les Égyptiens.

Un Égyptien, ayant abordé au Pount, propose des colliers et d'autres articles qui seront échangés contre de l'or, de l'encens, de l'ivoire ou d'autres denrées précieuses.

Des habitants de la Crète, et plus tard de la Grèce, venaient faire du commerce en Égypte. Mais les Égyptiens préféraient parler de tribut.

De la Nubie contrôlée par l'Égypte venaient l'or, les esclaves, les pierres semi-précieuses, le cuivre, les plumes d'autruche et les œufs. Du centre de l'Afrique, via la Nubie, arrivaient l'ivoire, l'ébène, les peaux de panthères et des animaux sauvages. Parfois un danseur nain était amené de la « Terre des Esprits ».

Du pays du Pount, en bordure de la mer Rouge, venait l'encens indispensable à toute cérémonie religieuse égyptienne.

Le commerce extérieur était dirigé par le roi. Il contrôlait les opérations ; des officiels escortaient les envois importants. Mais il est probable que des commerçants privés parvinrent à établir de fructueux échanges.

L'éducation

Si vous saviez lire et écrire, votre carrière était assurée en Égypte. L'écriture était apparue juste avant l'unification des Deux Terres. Elle était composée de signes : les hiéroglyphes, qui apparaîtront sur les monuments pendant plus de 3 500 ans. Une version abrégée, le *hiératique,* sera ensuite utilisée pour l'usage courant. Plus tard, une écriture encore plus simple sera mise au point : le *démotique*. Tous les événements religieux, politiques et commerciaux étant enregistrés, la lecture et l'écriture étaient essentielles pour quelqu'un qui voulait devenir prêtre ou fonctionnaire.

« Ne vous laissez jamais gagner par la paresse, sinon vous serez battu. Les oreilles d'un garçon sont dans son dos : il écoute quand il est battu. »

Les enfants égyptiens devaient apprendre la vie des dieux. Ici, Shou, dieu de l'air, est debout au-dessus de son fils Geb, dieu de la Terre, et soutient sa fille Nout, déesse du ciel.

Les nobles engagaient souvent des précepteurs pour leurs enfants et les temples possédaient probablement des écoles pour former les scribes. Les enfants de paysans, si les parents en avaient les moyens, pouvaient recevoir un enseignement élémentaire, d'un scribe pauvre ou d'un prêtre voulant augmenter ses revenus.

Les enfants les plus favorisés apprenaient, en plus de la lecture et de l'écriture, les mathématiques, l'histoire, les langues et toute autre discipline utile à une brillante carrière officielle.

Les premières leçons consistaient à recopier les histoires célèbres et les écrits des sages : les Livres de sagesse et les Enseignements. Au cours des siècles, de nombreux sages ont transcrit leurs pensées sous forme de traités où l'on apprenait l'art d'être agréable aux dieux.

La vie quotidienne

Les tentes et les cabanes en roseau des premiers habitants de la vallée du Nil sont remplacées à l'époque des dynasties par les maisons en briques. Les riches utilisaient la pierre pour les encadrements de portes et les socles de colonnes ; le bois servait pour les plafonds et les colonnes. Les pauvres se contentaient de roseaux crépis de boue.

Les maisons des plus pauvres n'avaient qu'une seule pièce, mais en général les foyers égyptiens comprenaient trois parties au rez-de-chaussée et des chambres au premier étage.

La première pièce dans laquelle on entrait était celle où le maître de maison dirigeait ses affaires ou exercait son métier ; une famille pauvre pouvait même y garder un âne ou une vache. Dans la deuxième pièce, plus grande, avec des fenêtres, on recevait les amis et on y prenait les repas ; autour de cette pièce centrale, un homme riche disposait d'autres lieux pour ses invités. La troisième partie était destinée à l'usage privé de la famille et comportait chez les riches des toilettes et une salle de bain. Pour éviter les incendies, la cuisine était souvent faite dehors.

Les maisons avaient des toits plats, avec en général une terrasse aménagée où l'on prenait le frais pendant l'été. En ville, où le terrain était rare et cher, on trouvait parfois des maisons de trois étages ou plus ; mais à la campagne on préférait les grandes villas avec piscines et jardins.

Les murs étaient décorés de peintures, de tissages et de cuir. Les riches décoraient sol et murs d'ardoises vernissées. Les meubles étaient en bois, en roseaux et en cuir.

Une rue montrant des maisons d'artisans. Le mobilier était en général simple : lits, coffres, tables basses, tabourets et chaises. Des paniers et de grandes jarres en terre servaient au rangement. Il n'y avait pas de placards mais des niches creusées dans le mur, parfois dissimulées pour cacher les biens précieux.

Les vêtements

Dans l'Égypte ancienne, la plupart des vêtements étaient en lin, mais aussi parfois en cuir et en laine. Les costumes étaient de conception simple. Les femmes portaient des robes très serrées, avec de larges bretelles, les hommes avaient des jupes qui descendaient jusqu'aux genoux ou aux chevilles, ou encore des tuniques à ceinture. L'hiver, on portait des capes, ou, à une certaine époque, des drapés transparents recouvrant les robes.

Les pauvres utilisaient un tissu grossier, les riches le lin et le plus fin. Sur les peintures des tombeaux, les costumes sont blancs, sans doute pour des raisons religieuses. Mais dans la vie courante étaient souvent employés des tissus à motifs colorés.

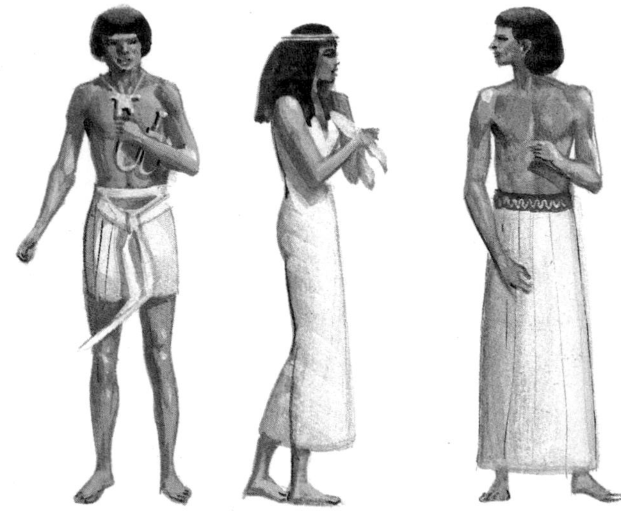

Vêtement quotidien
d'homme — de femme

Tenue de personnage officiel
(Ancien Empire)

Une dame du Moyen Empire se prépare pour une soirée. Elle porte une perruque. Elle s'est lavée, puis frottée avec des huiles parfumées. Il lui reste maintenant à se maquiller les yeux, les lèvres, les joues, et peut-être les ongles, les paumes et les plantes des pieds.

Robe de lin à motifs — Costume de noble — Costume de dame de la cour (Nouvel Empire)

Au marché

Toutes les scènes de la vie quotidienne ont été décrites en détail, mais deux ou trois tombes seulement illustrent des scènes de marché. Elles nous montrent que les commerçants dressaient des tentes, avec des auvents protégeant du soleil. La nourriture, les vêtements et les autres articles destinés à la vente étaient soit suspendus, soit disposés sur des nattes ou des tables basses. Certains marchands vendaient de la bière et du vin. Le propriétaire de l'étal s'asseyait sur une natte ou sur un tabouret et attendait les clients. Les hommes, comme les femmes, venaient faire leurs courses. Certaines femmes tenaient elles-mêmes des éventaires.

Il est probable que les ateliers des temples et des grands propriétaires écoulaient là le surplus de leur production, mais nous ne connaissons pas exactement l'organisation des boutiques.

Les Égyptiens qui n'utilisaient pas l'argent, commerçaient grâce à un système de troc. Ils finirent par mettre au point un moyen d'évaluer les marchandises à l'aide de poids en cuivre appclés *deben.* Mais ils n'ont jamais pensé à les changer en pièces de monnaie. Les femmes étaient libres de faire du commerce ; mais si elles s'endettaient, leur maris n'étaient pas responsables.

Un bateau syrien décharge ses marchandises à Memphis. Les officiels égyptiens s'empressent d'aller traiter avec le capitaine du navire au nom du roi, mais certains marins préfèrent négocier directement avec les commerçants.

Le jouet favori d'une petite fille. Quand on actionne les clefs, les nains en ivoire se mettent à tourner.

Les jeux et les sports

Comme les Égyptiens étaient enterrés avec leurs objets personnels et que des scènes de la vie quotidienne étaient peintes sur les murs, nous connaissons bien leurs loisirs. Les enfants possédaient beaucoup de jouets et s'amusaient à des jeux très divers. Certains jeux, ressemblant aux échecs ou aux dames, se pratiquaient à tout âge et dans toutes les classes de la société.

Les nobles allaient à la chasse du gibier à plume et à la pêche, emmenant parfois leur famille pour un pique-nique ; mais ils partaient seuls pour la chasse à l'hippopotame ou au crocodile. Les autres sports comprenaient l'escrime, la canne, ou les joutes par

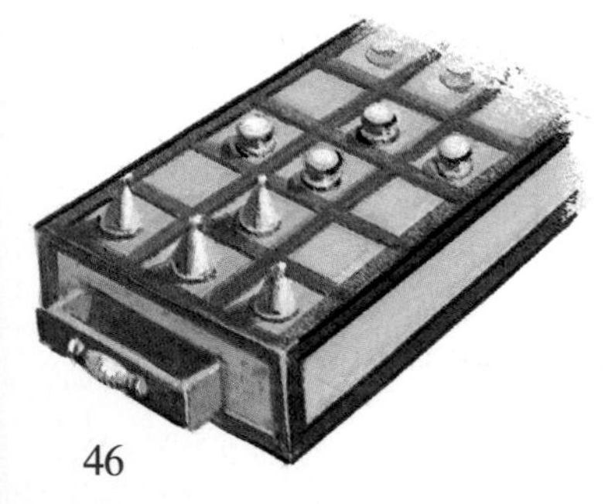

Les Égyptiens aimaient beaucoup les jeux qui se pratiquaient à deux joueurs sur des tableaux en bois, avec des pièces. On en a perdu les règles, mais il existait certainement plusieurs versions se rapprochant des échecs ou du ludo.

Beaucoup de paysans gagnaient leur vie en chassant des oiseaux et en pêchant, mais les nobles pratiquaient ces activités comme un sport.

équipes consistant à mettre à l'eau les membres de l'équipe adverse.

Les Égyptiens appréciaient également les réceptions et leurs nombreuses distractions : animaux faisant des tours, musiciens, chanteurs, danseurs, acrobates, conteurs.

La religion

Les Égyptiens croyaient que les questions terrestres et celles de l'au-delà étaient régies par les dieux et les déesses. Dans l'Ancien Empire, Rê était le roi des dieux ; dans le Nouvel Empire il fut remplacé par Amon. Sur le Royaume des Morts régnait le dieu Osiris.

Certains dieux étaient associés à un animal. Ils pouvaient être représentés par cet animal ou simplement sa tête. Ceux qui ne savaient pas lire pouvaient toujours reconnaître une statue ou un dessin gravé. L'animal représentant le dieu était parfois gardé dans son temple ; quand l'esprit du dieu entrait dans l'animal, on devait l'adorer et écouter ses oracles.

Amon, roi des dieux **Isis et son fils Horus**

Anubis, conducteur des morts

Taweret, protectrice des femmes

Bast, déesse-mère

Bès, protecteur de la famille

Les prêtres et les temples

En Égypte le temple représentait la maison du dieu ou de la déesse qui y était adoré. Le temple était donc organisé selon les trois parties d'une maison. On entrait par un grand *pylon* (arche de cérémonie) dans la cour, qui correspondait aux premières pièces de la maison où l'on menait les affaires. Tout le monde n'était pas autorisé à passer de la cour dans l'*hypostyle,* grande salle à colonnes. Utilisée uniquement par les prêtres, elle servait de salle de réception. Au-delà se trouvait le saint des saints : les appartements privés du dieu dont la statue était placée dans une châsse.

A l'extérieur du temple, entourés d'un grand mur, se trouvaient le lac sacré où l'on puisait l'eau pour les cérémonies, les maisons des prêtres et de nombreuses dépendances.

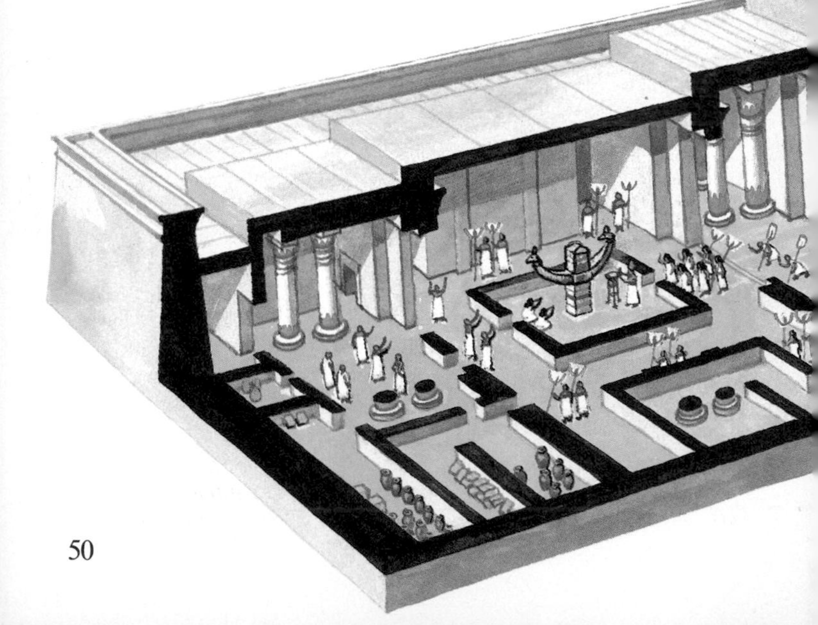

Chaque divinité était servie par des prêtres et des prêtresses ; de plus, une foule de prêtres assistants, de danseurs, de scribes, de fermiers, d'artisans et d'esclaves honoraient le dieu pendant les cérémonies, administraient ses biens et travaillaient dans ses champs ou ses ateliers.

Les cérémonies commençaient à l'aube : on nourrissait, habillait et purifiait la statue du dieu ; ainsi l'esprit divin descendrait dans la statue pendant la journée. D'autres cérémonies se déroulaient à midi et au coucher du soleil. On priait sans doute nuit et jour.

Au fur et à mesure que l'on avançait dans un temple égyptien, le plafond était plus bas et le sol plus haut. Toute l'attention était ainsi concentrée sur la statue divine quand on parvenait au sanctuaire.

Les oracles

Les statues des dieux et des déesses restaient la plupart du temps dans leurs temples, mais elles étaient placées dans les barques sacrées lors des grandes fêtes. On les promenait dans les rues en grandes processions. Les fidèles pouvaient alors leur rendre hommage et même exprimer leurs vœux. Parfois, prêtres et prêtresses interprétaient des scènes racontant les exploits de leur divinité.

Les musiciens jouent, le public acclame. Le dieu, sorti du temple, est porté en triomphe dans la ville.

Quand ils étaient confrontés à un problème difficile, tous les Égyptiens, du roi au plus humble de ses sujets, consultaient les dieux. Le roi s'adressait lui-même à la statue. Les autres envoyaient un prêtre avec une question écrite. La statue pouvait parler, hocher la tête, lever un bras ou soudain devenir trop lourde pour être portée en procession. La réponse de la divinité était un *oracle*. On interprétait aussi les mouvements de l'animal sacré représentant le dieu comme des oracles.

C'était évidemment les prêtres qui manipulaient les statues. Certains étaient probablement rémunérés. Mais d'autres croyaient sincèrement qu'après avoir prié, jeûné et s'être purifiés, leurs paroles et leurs actes exprimaient la volonté divine.

L'au-delà

La vie dans l'autre monde étant éternelle, les Égyptiens croyaient nécessaire de bénéficier de nourriture, de boissons et de biens matériels. Ils dépensaient donc leurs richesses, leur temps et leur énergie à se préparer une existence confortable dans l'au-delà.

Ils comprenaient bien que leurs descendants ne pouvaient pas leur procurer la boisson et la nourriture pendant des siècles ; aussi décoraient-ils leurs tombeaux avec des scènes de la vie quotidienne. Par la magie des inscriptions, tout ce dont ils avaient besoin devait leur être fourni éternellement.

Les Égyptiens croyaient également que pour profiter pleinement de l'autre monde, leur corps devait leur survivre. Ils inventèrent ainsi la *momification.* Seuls les riches pouvaient s'offrir un traitement complet.

Le cerveau était retiré par le nez. Les organes étaient ôtés, puis conservés séparément dans quatre jarres. Le corps était complètement séché avec un sel appelé *natron,* recouvert ensuite de produits conservateurs et de lin avant d'être enveloppé de bandelettes et placé dans le cercueil.

La chaleur du climat égyptien obligeait à agir rapidement. Dès le décès, on envoyait chercher les embaumeurs, qui emportaient le corps dans leur atelier, sur la rive occidentale. A certains moments de la cérémonie funèbre, les prêtres personnifiaient vraisemblablement Anubis et les quatre fils de Horus, protecteurs des morts, en portant les masques correspondant à ces dieux.

Les tombes

Les premières sépultures étaient de simples trous dans le sable, recouverts de pierres pour éloigner les animaux sauvages. Plus tard, des tombes rectangulaires appelées *mastabas* furent construites en briques de boue argileuse. Les mastabas royaux de la 1re dynastie étaient très soignés. Chaque Égyptien continua à construire des mastabas en briques ou en pierres selon ses moyens, mais pour les rois on édifia de magnifiques tombes en forme de pyramides. Les premières comportaient des degrés, les suivantes étaient lisses. Les pyramides de la 4e dynastie à Gizèh, construites en pierre avec une extraordinaire précision, sont une des merveilles du

Sur le chemin de la sépulture, le cercueil, enfermé dans un meuble en bois avec des biens pour la tombe et des offrandes, est suivi par des prêtres et des pleureuses.

A l'entrée de la tombe, on procédait au rituel de « l'ouverture de la bouche » qui avait pour but de rendre aux morts l'usage complet de leur corps.

monde antique. Plus tard, les tombes creusées dans le rocher devinrent courantes, et ce style fut adopté par les rois du Nouvel Empire. Sur la rive occidentale de Thèbes, dans une vallée cachée dominée par une montagne en forme de pyramide, furent enterrés les grands chefs de l'Égypte.

On conduisait un mort à sa tombe avec tous les biens nécessaires pour vivre dans l'au-delà et on l'enterrait en prononçant de nombreuses prières et formules magiques, qui devaient permettre à l'esprit du défunt de traverser en toute sécurité le fleuve de la mort pour pénétrer dans le royaume d'Osiris, dieu des morts.

Les pilleurs de tombes

La chambre funéraire devait être scellée, fermée pour toujours. Cependant, la partie supérieure de la tombe, décorée avec des scènes de la vie quotidienne et des objets appartenant au mort, pouvait être ouverte pour que les prêtres et la famille fassent régulièrement leurs offrandes. Les tombes des rois ne devaient jamais être ouvertes ; les offrandes étaient apportées dans de petits temples construits un peu plus loin.

Même les familles pauvres trouvaient des biens à enterrer avec leurs défunts. Les rois et les nobles dépensaient des fortunes pour s'assurer une vie éternelle confortable. Et tous savaient que ces tombes contenaient des trésors. Pensez au trésor de Toutankhamon... C'était pourtant la plus petite tombe de la Vallée des Rois !

Une tombe mastaba avec offrandes et sarcophage. On a découvert des tunnels conduisant directement aux chambres funéraires, ce qui indique bien l'intention des architectes ou des prêtres !

Un pillage. Tout récemment encore, des tombes et des temples ont été dévalisés.

La tentation était donc très grande. Le pillage était puni de mort, mais les tombes étaient régulièrement vidées, parfois juste après les funérailles et avec la complicité des prêtres, des architectes et des gardes. Quand le pays était bien gouverné, les cimetières étaient bien gardés, mais au cours des Périodes Intermédiaires, le pillage se pratiqua largement.

Pendant la 3ᵉ Période Intermédiaire, la situation devint telle que les prêtres de la 21ᵉ dynastie rassemblèrent ce qui restait des momies royales et les enterrèrent dans deux endroits secrets, où elles reposèrent inviolées jusqu'à la fin du 19ᵉ siècle.

L'autre monde

Quand elle s'était échappée du corps, l'âme traversait en barque le fleuve des morts pour rejoindre l'autre monde. Le voyage s'accomplissait en suivant des recueils de formules magiques comme le Livres des morts et des guides topographiques comme le Livre des deux chemins. L'âme franchissait le seuil de cette nouvelle terre, gardée par des serpents et des démons. Elle rencontrait là les 42 juges auxquels elle devait prouver son innocence. Finalement l'âme comparaissait au tribunal d'Osiris et était jugée pour vérifier que sa vie sur terre avait été vertueuse. Les méchants étaient punis. Les vertueux passaient sains et saufs à l'ouest ; ils vivaient alors des jours heureux avec les esprits de leur famille et de leurs amis partis avant eux.

Tous les morts devaient entrer dans la Salle des Jugements du dieu Osiris. On posait le cœur du mort sur un plateau de la balance et la plume de la vérité sur l'autre plateau. Si le cœur était pur, la balance s'équilibrait et la béatitude éternelle était accordée au mort. Si le cœur était plus lourd, un horrible monstre dévorait le pécheur. Osiris lui-même ayant été ressuscité, il promettait la vie éternelle à toutes les âmes fidèles et vertueuses.

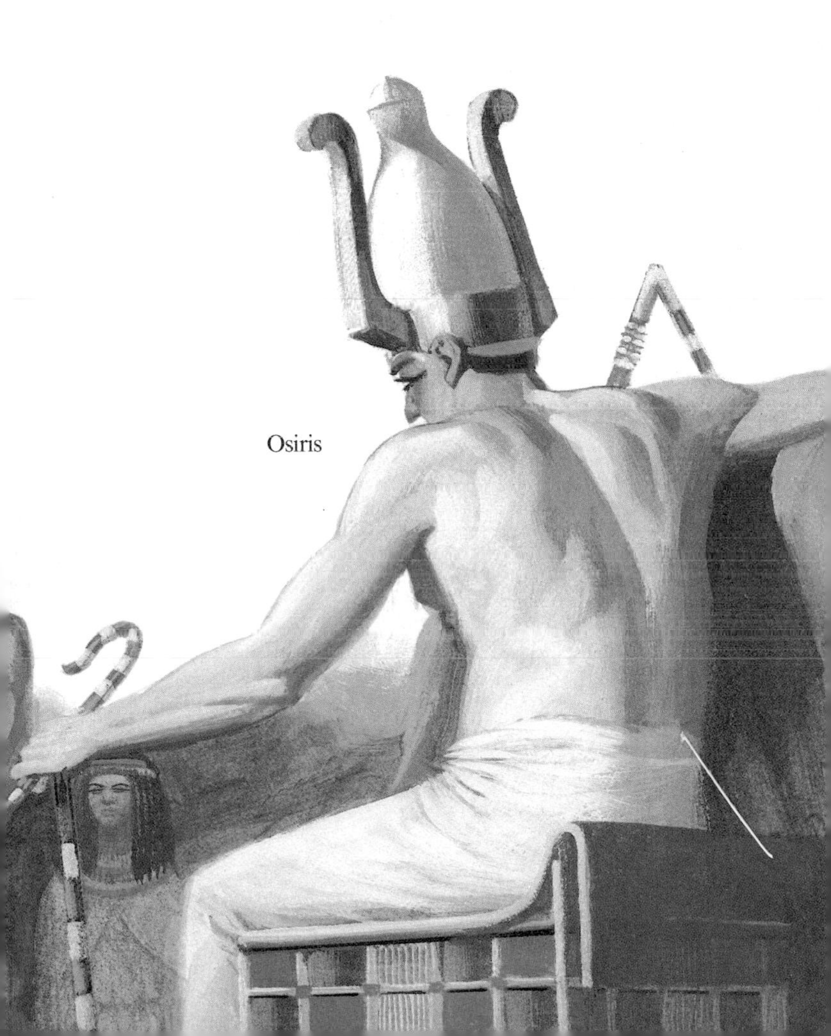

Osiris

Index

Acacia 7
Actium 17
Agriculture 6-9, 28, 29
Akhenaton 21
Alexandre le Grand 17
Alexandrie 17
Alimentation 29, 44
Ambassadeurs 15
Aménophis 20, 21
Amon 16, 24, 26, 48
Ancien Empire 6, 12, 26, 42
Anubis 49, 55, 60
Argent 22, 45
Argile 7, 31
Armée 26, 27
Armes 26, 27
Armure 27
Artisans 32, 33
Assyriens 16, 17, 32
Aton 21

Barques 34, 35, 52
Basse-Égypte 11, 14, 18, 22
Basse Époque 16, 17
Bast 49
Bès 49
Bijoux 7, 33, 36
Bois 7
Boissons 29
Bornes 9
Bouhen 12
Byblos 7, 35, 36

Canaux 8, 9
Cataractes 8, 12, 13
Chars 26, 27
Chevaux 26, 36
Cléopâtre 17
Collecteurs d'impôts 23
Commerce 7, 12, 34-37, 45
Constructions 30, 31
Costumes 42, 43
Cuivre 7, 14, 36
Crète 36, 37

Deben 45
Deir el-Bahari 20
Démotique 38
Déserts 6, 9, 14
Dieux 19, 39, 48-53, 57, 60, 61
Divorce 25

Écriture 38
Éducation 38, 39
Élevage 29
Encens 37
Enseignements 39
Enterrement 54-59
Esclaves 23, 30, 32, 36, 37, 51
Euphrate 14

Geb 39
Gouvernement 18-27
Grèce 36, 37
Grève 33
Gizèh 56

Hatshepsout 20
Haute-Égypte 11, 18, 22
Hiératique 38
Hiéroglyphes 38
Hittites 16
Horus 18, 19, 48, 55
Hyksos 14, 26
Hypostyle 50

Impôts 22, 23
Inondation 8, 9, 28
Irrigation 9
Isis 48, 60

Jeux 46, 47
Jouets 46
Jugements 61
Juges 60
Justice 24, 25

Khartoum 8

Lagides 17
Liban 34
Lin 42, 43
Livre des deux chemins 60
Livre des morts 60
Livres de sagesse 39
Loi 24, 25
Lybie 16

Maison 30, 40
Marché 33, 44, 45
Marine 27
Mastabas 56, 58
Méditerranée 14
Memphis 11, 14, 15
Mer Rouge 14
Métaux 7
Mitannis 16
Mobilier 40, 41
Moissons 28, 29
Momification 54, 55
Moyen Empire 6, 26, 43

Narmer 11
Nefertiti 21
Nouvel Empire 6, 14, 26, 27, 30, 33, 43, 48, 57
Nil 6-9, 14
Nilomètres 8
Nome 22
Nout 39
Nubie 12, 14-16, 37

Octave 17
Or 7, 15, 32, 33, 36
Oracles 24, 48, 53
Osiris 48, 57, 60, 61

Palestine 14
Palmier 7
Période Archaïque 11, 12
Périodes Intermédiaires 12, 59
Peuples de la Mer 16, 17, 27
Pharaons 15, 18, 20, 27
Philae 17
Philistins 17
Poterie 7
Pount 35-37
Prêtres 50-53
Ptah 26
Ptolémée 17
Pylon 50
Pyramides 12, 30, 56, 57

Ramsès III : 17, 27
Rê 26
Religion 48-61
Romains 11, 17
Roseaux 7

Scribes 22, 23, 39, 51
Senenmout 20
Sésostris III : 13
Shou 39
Sinaï 14, 36
Sports 46, 47
Sutekh 26
Syrie 21

Tamarinier 7
Taweret 49
Tell el-Amarna 21
Temples 50-52
Terre des Esprits 37

Terre Noire 9
Terre Rouge 9
Thèbes 13, 14, 20, 33
Thot 60
Touthmosis 15, 20
Tissage 25
Tombes 56-59
Toutankhamon 58
Traîneaux 31, 34
Traités 15
Transports 34-37
Travail 28-39

Vallée des Rois 58
Vêtements 42, 43
Vie quotidienne 40-47
Vizirs 22, 24